SHAPES

팩토슐레 Math Lv. 3 시리즈 소개

수 (NUMBERS)

[학습목표] 1부터 50까지의 수를 알 수 있습니다.

도형 (SHAPES)

[학습목표] 다양한 모양의 ○, △, □ 등을 알 수 있습니다.

연산 (OPERATIONS)

[학습목표] 받아올림이 없는 덧셈과 뺄셈을 할 수 있습니다.

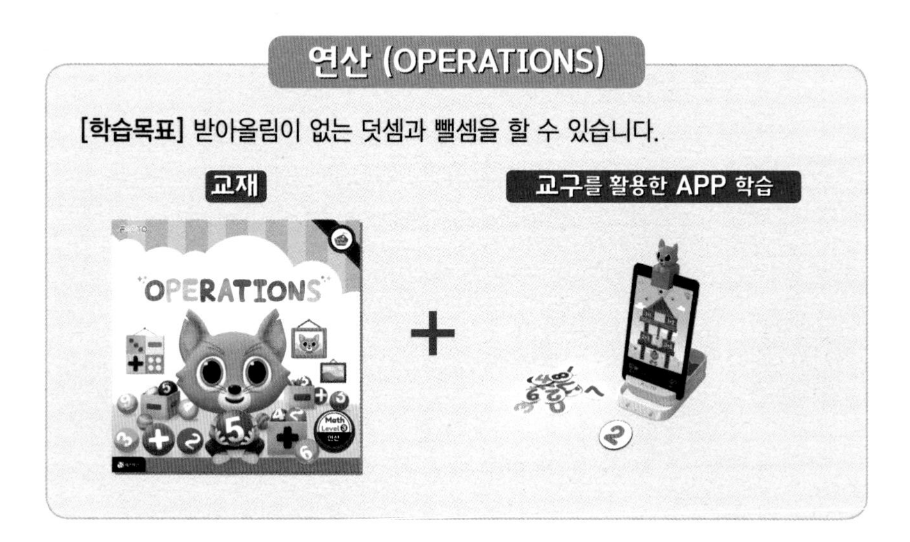

측정 (MEASUREMENT)

[학습목표] 시계, 무게, 길이, 넓이 등을 알 수 있습니다.

규칙 (PATTERNS)

[학습목표] 다양한 규칙을 찾을 수 있습니다.

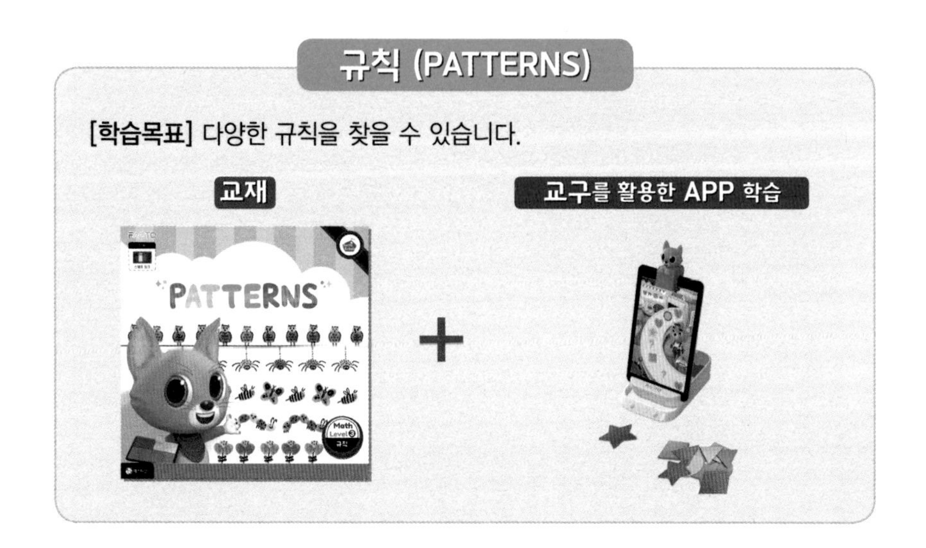

문제해결력 (PROBLEM SOLVING)

[학습목표] 다양한 유형의 문제를 해결할 수 있습니다.

팩토슐레 Math Lv. 3 교재 소개

" 우리 아이 첫 수학도 창의력을 키우는 **FACTO**와 함께! "

팩토슐레는 처음 수학을 시작하는 유아를 위한 창의사고력 전문 program입니다.

팩토슐레는 만들기, 게임, 색칠하기, 붙임딱지 붙이기 등의 다양한 수학 활동을 하면서 스스로 수학 개념을 알 수 있도록 구성되어 있습니다.

※팩토슐레는 6권으로 구성되어 있으며, 각 권은 30가지의 재미있는 활동을 수록하고 있습니다.

누리과정

팩토슐레는 누리과정 · 초등수학과정을 연계하여, 수학의 5대 영역(수와 연산, 공간과 도형, 측정, 규칙, 문제해결력)을 균형있게 학습할 수 있도록 하였습니다.
특히 가장 중요한 수와 연산은 각 권으로 구성하여 깊이 있는 학습이 가능하도록 하였습니다.

STEAM PLAY MATH

팩토슐레는 4, 5, 6세 연령별로 학습할 수 있도록 설계한 놀이 수학입니다. 매일매일 놀이하듯 자르고, 붙이고, 색칠하며 재미있는 30가지의 활동을 통해 창의사고력을 기를 수 있습니다.

동화책풍의 친근한 그림

팩토슐레는 동화책풍의 그림들을 수록하여 아이들이 수학을 더욱 친근하게 느끼며 좋아할 수 있도록 하였습니다. 또한 한글을 최소화하고 학습 내용을 직관적으로 이해할 수 있도록 하였습니다.

팩토슐레 Math Lv. 3 교구·App 소개

" 수학 교육 분야 **증강현실**(AR)과 **사물인식**(OR) 기술을 국내 최초 도입 "

교구를 활용한 App 학습 프로세스

자기주도학습 팩토슐레 App만의 장점

팩토슐레 App은 사물인식(OR) 기술을 사용하여 아이들의 학습 정보를 습득한 후, App에 프로그래밍된 학습도우미를 통하여 아이들이 문제 푸는 것을 힘들어하거나 틀릴 경우에는 힌트를 제공합니다.
이와 같은 방식의 스마트기기와의 상호작용은 학습의 효율을 높이고 자기주도학습 능력을 길러 줍니다.

완벽한 학습 설계 App 다른 교육 App과의 차별점

팩토슐레 App은 수학 교육 목표에 맞게 완벽한 학습 설계가 되어 있습니다. 아이들은 게임 기반의 학습 App을 진행하면서 어려운 문제도 술술 풀 수 있습니다.

증강현실(AR) 기술 도입

팩토슐레 App은 아이들이 캐릭터와 사진도 찍고, 자신이 그린 그림으로 자기만의 쿠키도 만들면서 학습 몰입도를 높일 수 있습니다.

01

양과 다람쥐는 동그라미로 그려진 작품을 보고 있네요. 나무에 걸려 있는 그림들처럼 **나만의 작품**을 만들어 보세요. 붙임딱지 ①

붙임딱지 붙이는 곳

엄마는 선생님!

다양한 크기의 원으로 창의적인 그림을 완성하는 활동을 통해 원의 모양과 특징을 알 수 있습니다.

02

다른 별에 사는 외계인이 놀러 왔어요! 동물들이 들고 있는 사진 속에 놀러온 외계인의 모습이 있다고 하네요. **놀러온 외계인**을 찾아 ○표 하세요.

외계인의 특징에 따라 기준을 세워서 같은 그림을 찾는 활동을 통해 정보 처리 능력을 기를 수 있습니다.

03

동물들이 풀밭에서 놀고 있어요. 그런데 저기 저 동물은 무엇일까요?
세모 붙임딱지를 붙여 **어떤 동물**인지 알아보세요. 붙임딱지 ❶

엄마는 선생님!

다양한 모양의 삼각형 조각을 붙이는 과정에서 삼각형은 모두 세 변으로 이루어져 있음을 알 수 있습니다.

04

친구들이 동그라미가 그려진 종이에 그림을 그리고 있어요. 동그라미에 공도 그리고 사탕도 그렸네요!
친구들처럼 **동그라미**에 재미있는 그림을 그려 보세요.

생활 주변의 여러 가지 물건에서 원 모양을 찾아 그려 보는 활동을 통해 추론 능력과 유창성을 기를 수 있습니다.

05 쥐와 다람쥐가 그린 그림은 같아 보이지만 사실은 조금 달라요! 어디가 다를까요? 두 그림에서 서로 **다른 5곳**을 찾아 ○표 하세요.

엄마는 선생님!

그림의 작은 부분과 전체 모양의 세밀한 관찰을 통해 집중력을 높일 수 있습니다.

06

네모로만 이루어진 '네모 나라'예요. 귀여운 네모 강아지도 보이네요! 빈 곳에 나무, 꽃, 풀을 만들어 **네모 나라**를 완성하세요. 활동지 ①

엄마는 선생님!

모양을 꾸미는 과정에서 다양한 모양의 사각형이 있음을 알게 되고 사각형의 특징을 이해하게 됩니다.

빨간색, 연두색, 노란색, 파란색 항아리가 세모, 네모 모양으로 깨져 있어요.
깨진 조각을 붙여 **항아리를 완성**하세요. 활동지 1

엄마는 선생님!

깨진 조각들로 삼각형, 사각형 모양을 만드는 과정에서 삼각형, 사각형 모양의 특징을 알 수 있습니다.

08 다람쥐는 지도를 보고 도토리가 있는 **모든 곳**으로 가려고 해요. 그런데 지도가 군데군데 비어 있어요. 떨어진 조각을 붙여 **지도를 완성**하세요. 활동지 ②

길의 모양을 관찰하고, 길이 연결되도록 조각을 놓는 활동을 통해 공간 능력과 문제해결력을 기를 수 있습니다.

09

친구들이 거울 공원에 놀러 왔어요. **거울에 비친** 친구들은 어떤 모습일까요?
알맞은 모습을 붙여 보세요. 활동지 ❷

엄마는 선생님!

거울에 비친 모습은 나에게 보이는 친구들의 모습과 다르게 좌우가 바뀐다는 것에 주의하도록 합니다.

10 친구들이 세모 땅따먹기 게임을 하고 있어요. 엄마와 함께 게임을 해 보세요.

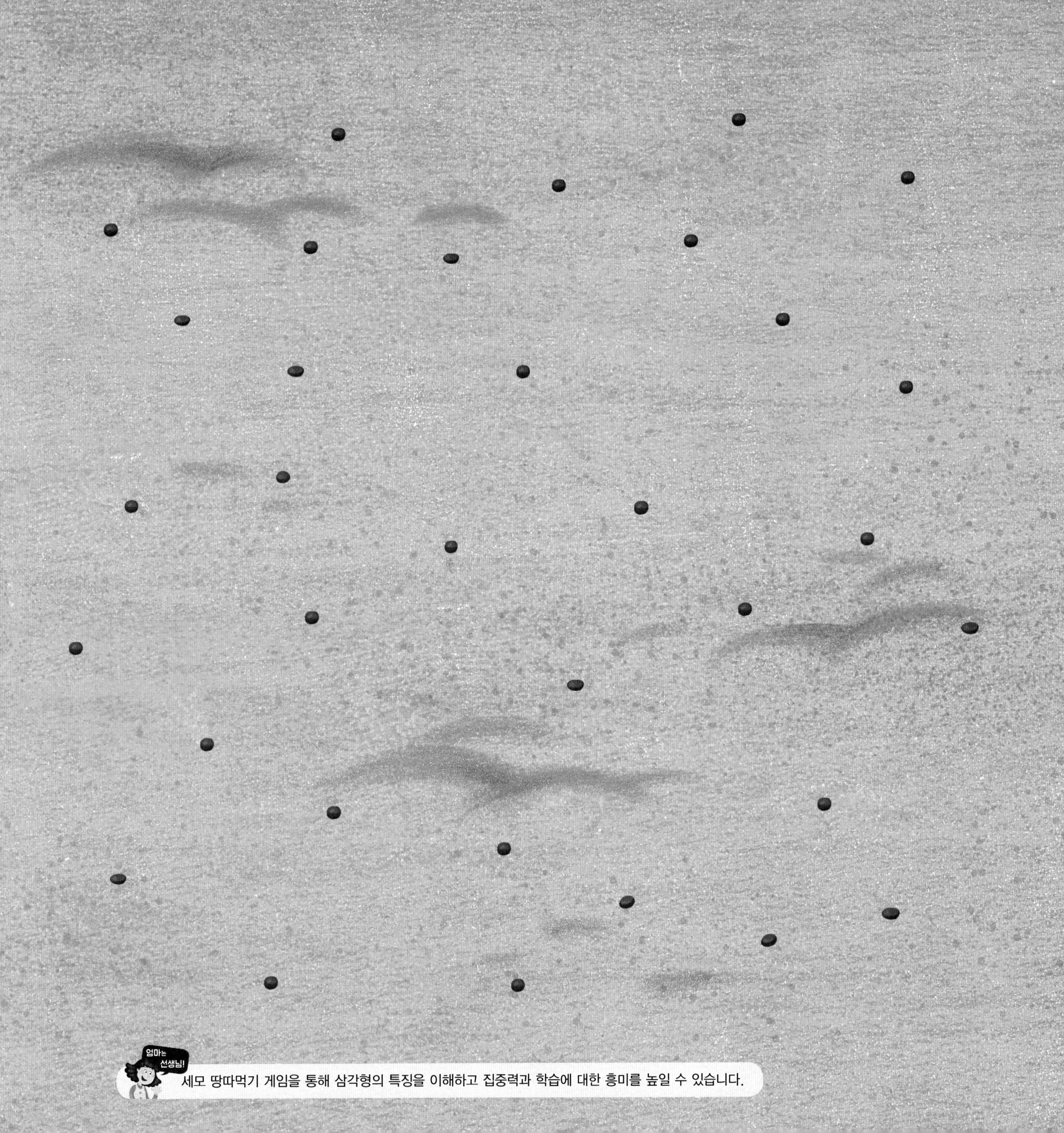

세모 땅따먹기 게임을 통해 삼각형의 특징을 이해하고 집중력과 학습에 대한 흥미를 높일 수 있습니다.

11 말을 탄 사람이 집으로 가고 있어요. 칠교 조각으로 **집**과 **말 타는 사람**을 맞춰 보세요. 활동지 3

엄마는 선생님!
칠교 조각을 삼각형과 사각형으로 구별하고 여러 가지 모양을 만들 수 있습니다.

12
친구들이 신나게 연주를 하고 있어요. 그런데 친구들 주변에 그림이 숨어 있네요.
숨은 그림을 찾아볼까요?
숨은 그림은 어디에 있을까?

엄마는 선생님!
세밀한 관찰을 통해 숨어 있는 그림을 찾아가는 과정에서 집중력이 향상됩니다.

친구들이 세모, 네모가 그려진 벽에 그림을 그리고 있어요. 다람쥐는 세모에 모자를 그렸고, 양은 네모에 버스를 그렸어요! 친구들처럼 **세모**, **네모**에 그림을 그려 보세요.

생활 주변의 여러 가지 물건에서 삼각형, 사각형을 찾아 그려 보는 활동을 통해 추론 능력과 유창성을 기를 수 있습니다.

14 친구들이 곤충을 관찰하고 있어요. 어떤 곤충을 관찰하는지 **조각을 맞추어** 알아보세요. 활동지 ③

곤충의 전체 모양과 부분의 생김새를 살펴봄으로써 관찰력을 향상시키고, 조각을 맞춰보는 과정에서 추론 능력과 집중력을 키울 수 있습니다.

15 친구들이 **네모 땅따먹기 게임**을 하고 있어요. 엄마와 함께 게임을 해 보세요.

엄마는 선생님!

네모 땅따먹기 게임을 통해 사각형의 특징을 이해하고 집중력과 학습에 대한 흥미를 높일 수 있습니다.

농장에서 강아지와 고양이가 놀고 있어요. 칠교 조각으로 **강아지**와 **고양이**를 맞춰 보세요. 활동지 ③

엄마는
선생님!
칠교 조각으로 빈 곳을 채우는 다양한 방법을 생각해 보면서 추론 능력을 기를 수 있습니다.

17

사진첩에 곰 사진이 6장 있어요. 새가 곰의 사진 위에 거울을 놓고 비춰 보고 있네요.
새가 보고 있는 **곰의 모습**을 생각 풍선에 붙여 보세요. 활동지 ④

거울을 놓는 위치에 따라 거울에 비치는 모습이 달라짐을 관찰하면서 대칭 개념을 이해할 수 있습니다.

18

친구들이 잡지에서 여러 가지 모양을 찾고 있어요. 악어는 네모 모양인 창문을 찾았어요!
친구들처럼 잡지에서 **동그라미, 세모, 네모** 모양의 그림을 잘라 붙여 보세요. 활동지 ⑤⑥

엄마는
선생님!
사진속의 물건을 관찰하면서 원, 삼각형, 사각형의 모양과 특징을 이해할 수 있습니다.

친구들이 낚시를 하고 있어요. 친구들이 잡고 싶은 것은 무엇일까요?

똑같은 모양을 찾아 색칠해 보세요.

엄마는 선생님!
모양의 특징을 이해하고 똑같은 모양을 찾는 활동을 통해 관찰력을 기를 수 있습니다.

20

공룡나라에는 알록달록 귀여운 공룡들이 있어요. 얼굴이 동그라미 모양인 공룡도 있고, 세모 모양인 공룡도 있어요. **여러 가지 모양의 공룡**을 만들어 보세요. 활동지 4

엄마는 선생님!

원, 반원, 삼각형, 사각형으로 여러 가지 모양을 만드는 활동을 통해 창의력을 기를 수 있습니다.

21 잎 위에 무당벌레 여러 마리가 있어요. 같은 종류의 무당벌레를 보고 **점 무늬**를 **똑같이** 그려 주세요.

점 무늬를 시계 방향으로 직각만큼, 시계 반대 방향으로 직각만큼 돌렸을 때 나오는 모양을 알 수 있습니다.

22

양이 초대장을 들고 친구를 만나러 가요. 색칠해서 나온 그림에 ◯표 하고 순서대로 길을 따라가면 친구를 만날 수 있대요! **어떤 친구**를 만날지 알아보세요.

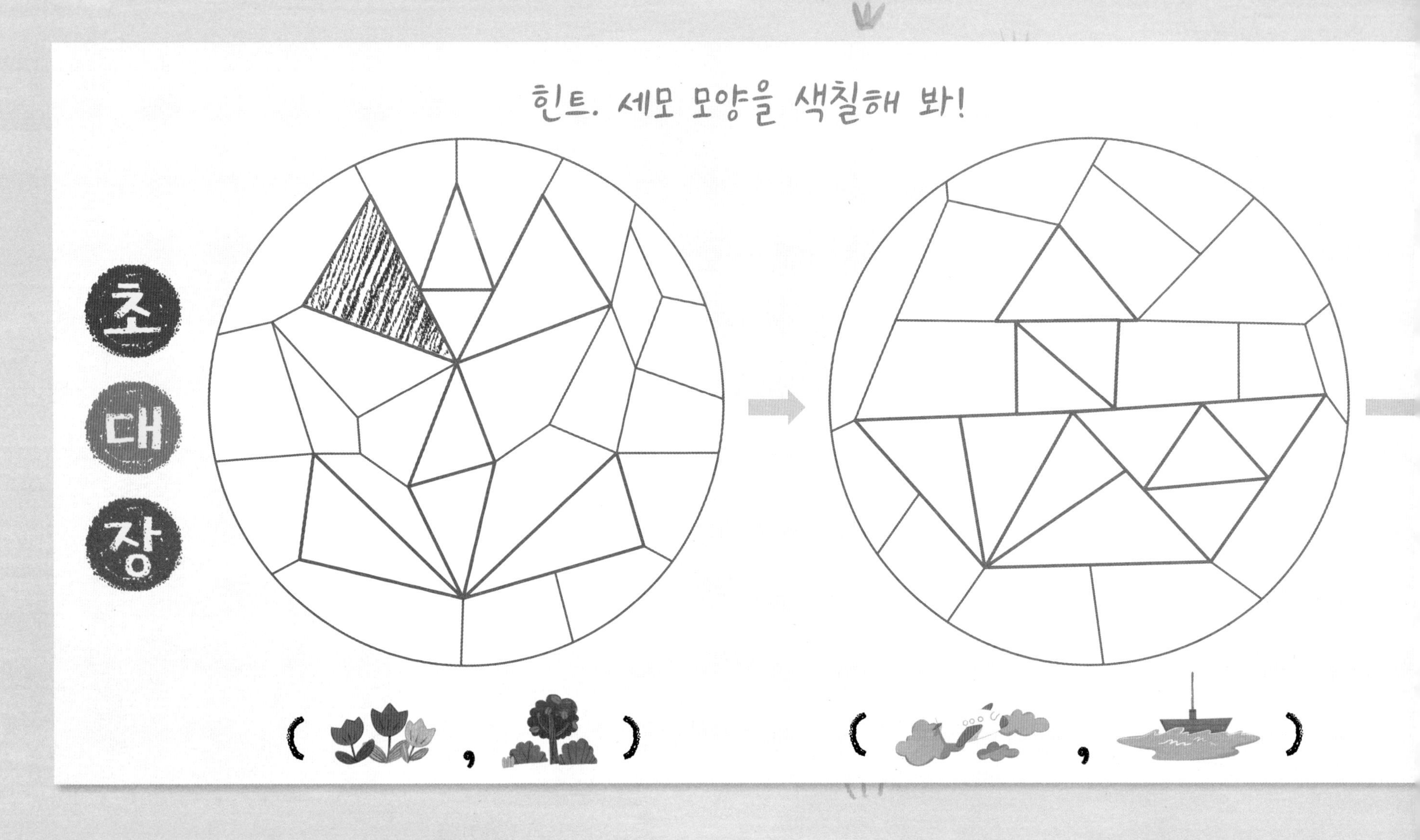

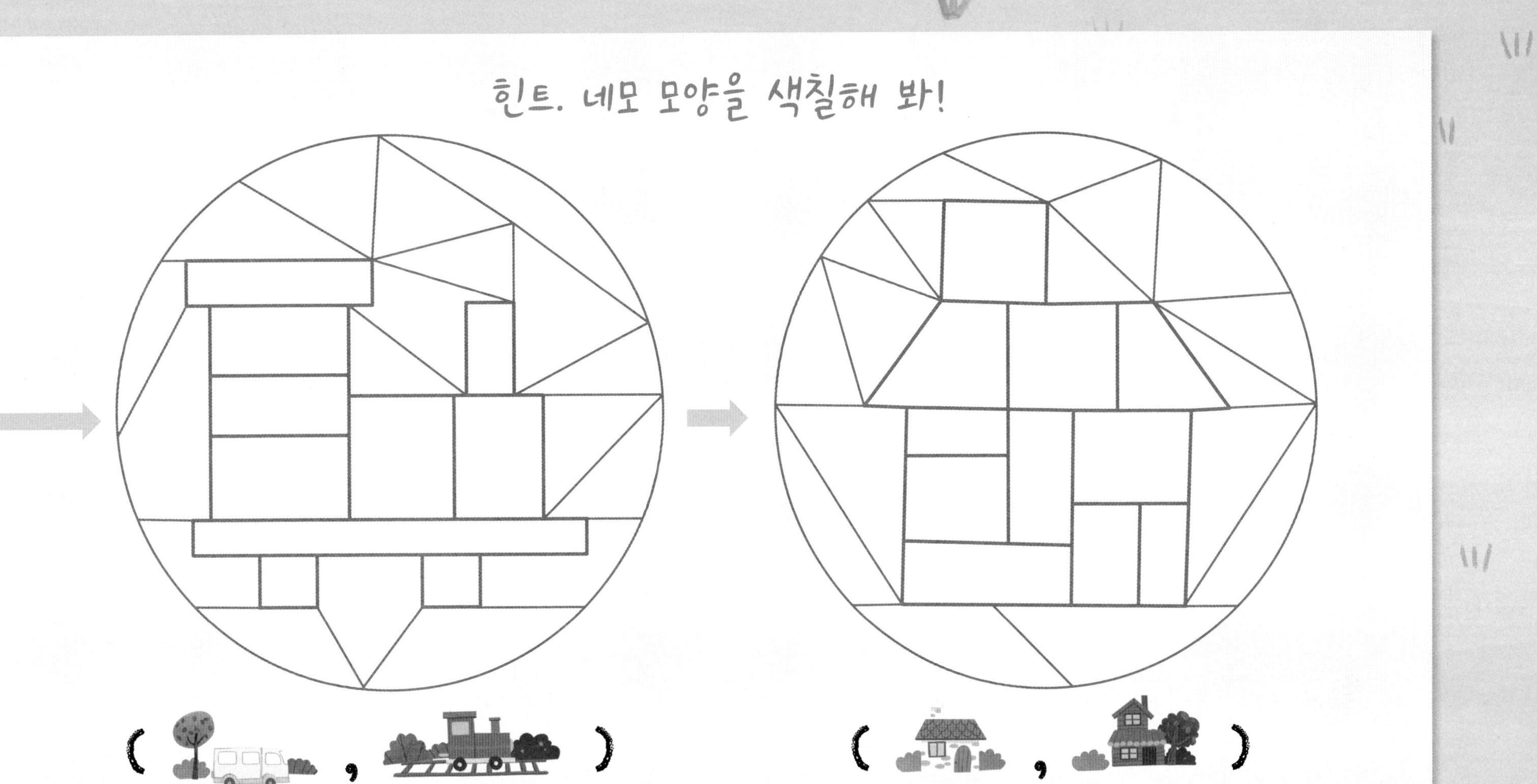

여러 가지 모양이 섞여 있는 그림에서 삼각형과 사각형을 찾는 과정을 통해 삼각형과 사각형의 특징을 알 수 있습니다.

23

친구들이 도깨비들의 공연을 보고 있어요. 도깨비 얼굴의 왼쪽과 오른쪽이 같도록 **눈**과 **입**을 그려 주세요.

모양이 같도록 그리는 과정에서 대칭을 이해하게 되고 추론 능력을 향상시킬 수 있습니다.

24
연못에 오리와 물고기가 헤엄치고 있어요. 칠교 조각으로 오리와 물고기를 맞춰 보세요.
활동지 3

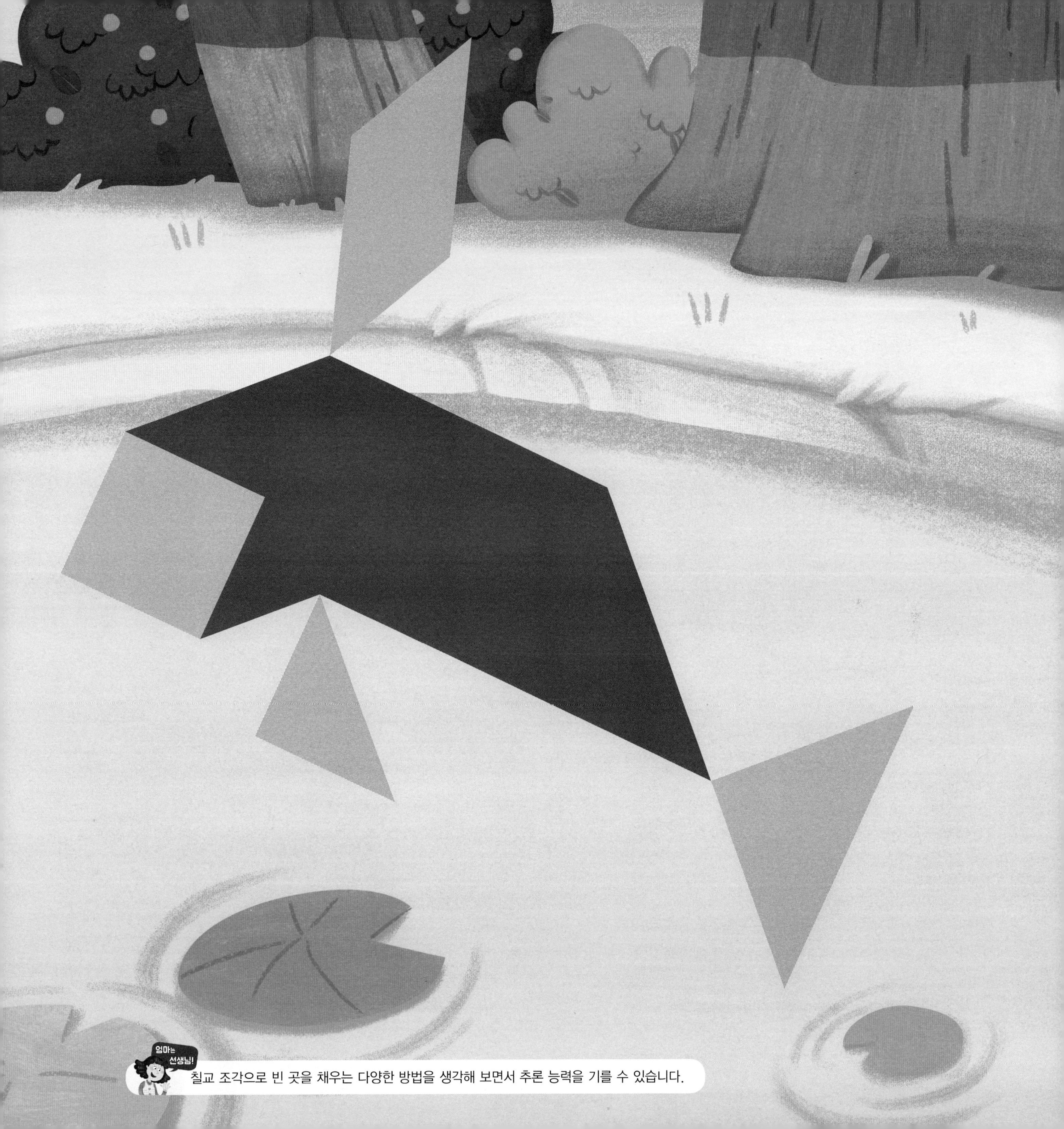
엄마는
선생님!
칠교 조각으로 빈 곳을 채우는 다양한 방법을 생각해 보면서 추론 능력을 기를 수 있습니다.

25

여러 가지 모양으로 이루어진 꽃, 물고기, 배, 자동차가 있어요. 이 모양들을 바라보며 친구들이 무슨 생각을 하는지 생각 풍선에 **알맞은 수**를 써 보세요.

●: 개

▲: 개

■: 개

●: 개

▲: 개

■: 개

엄마는 선생님!

원, 삼각형, 사각형의 특징을 생각하며 V 또는 ○ 등의 표시를 하며 빠짐없이 셀 수 있도록 합니다.

26 동물 친구들이 숨바꼭질을 하고 있어요! **그림자 모양**을 보고 숨어 있는 동물 친구들을 찾아 알맞게 붙여 보세요. 활동지 4

활동지 붙이는 곳

활동지 붙이는 곳

활동지 붙이는 곳

엄마는 선생님!

그림자를 관찰하여 모양의 특징을 찾는 활동을 통해 추론 능력을 기를 수 있습니다.

27 친구들이 여러 가지 모양을 만들며 놀고 있어요. 곰, 양, 다람쥐, 코알라가 주어진 조각으로 만든 모양은 **어떤 모양**인지 찾아보세요.

엄마는 선생님!
주어진 개수의 원, 삼각형, 사각형으로 만든 모양을 찾는 활동을 통해 정보 처리 능력을 키울 수 있습니다.

친구들이 동그라미, 세모, 네모 모양으로 이루어진 그림자를 보고 있어요.
친구들이 그림자를 보며 무슨 생각을 하는지 생각 풍선에 **알맞은 수**를 써 보세요.

▲ : 개
■ : 개
▲ : 개
엄마는 선생님!
그림자를 보며 여러 가지 모양의 원, 삼각형, 사각형의 개수를 세는 활동을 통해 추론 능력과 정보 처리 능력을 기를 수 있습니다.

29

너구리의 생일이에요. 너구리가 초대장에 그림을 그리고 있어요.
왼쪽 초대장과 **똑같게** 오른쪽 초대장에 그려 주세요.

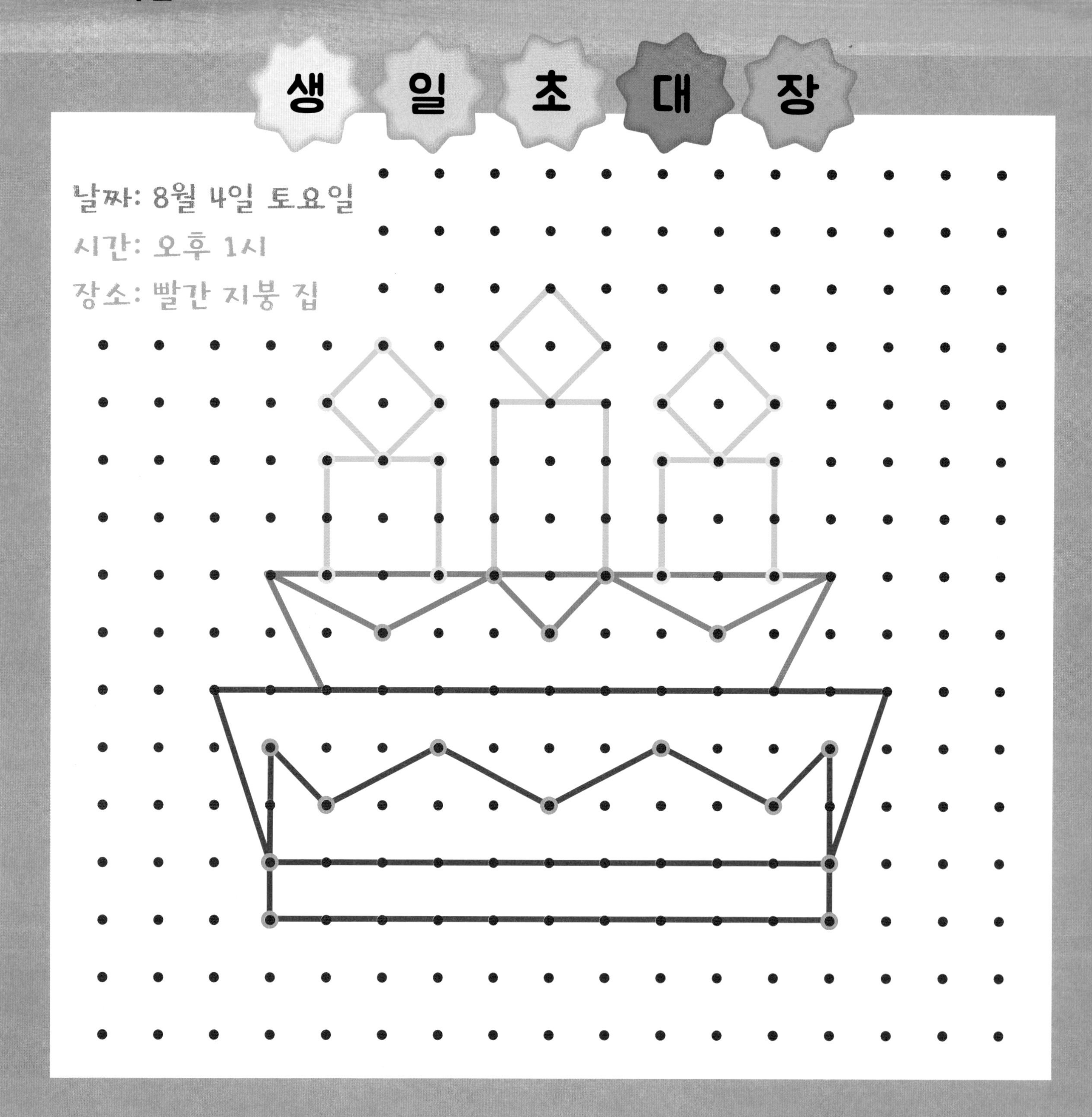

생일초대장

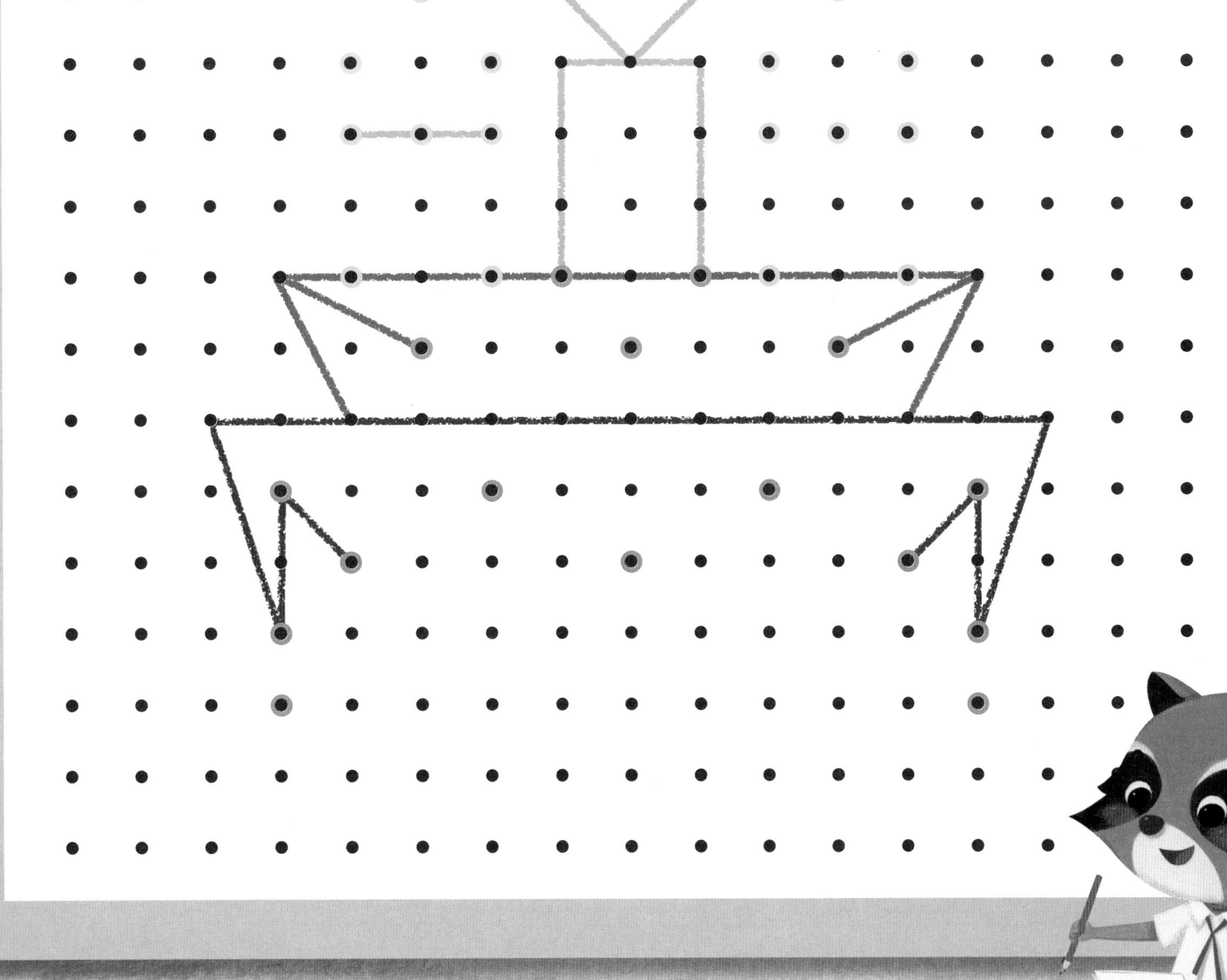

엄마는 선생님!

왼쪽 그림의 구성 요소 간의 위치 관계를 파악하고 오른쪽으로 옮겨 그리면서 공간 능력을 키울 수 있습니다.

30 숲속에 새가 날고 있어요. 칠교 조각으로 **새**와 **나무**를 맞춰 보세요. 활동지 ③

엄마는 선생님!

칠교 조각으로 빈 곳을 채우는 다양한 방법을 생각해 보면서 추론 능력을 기를 수 있습니다.

MEMO

친구가 그림 위에 거울을 놓고 비춰 보고 있어요. 각 그림에서 잘못된 부분을 찾아 ○표 하세요.

 그림을 보고 왼쪽과 똑같게 오른쪽에 그려 보세요.

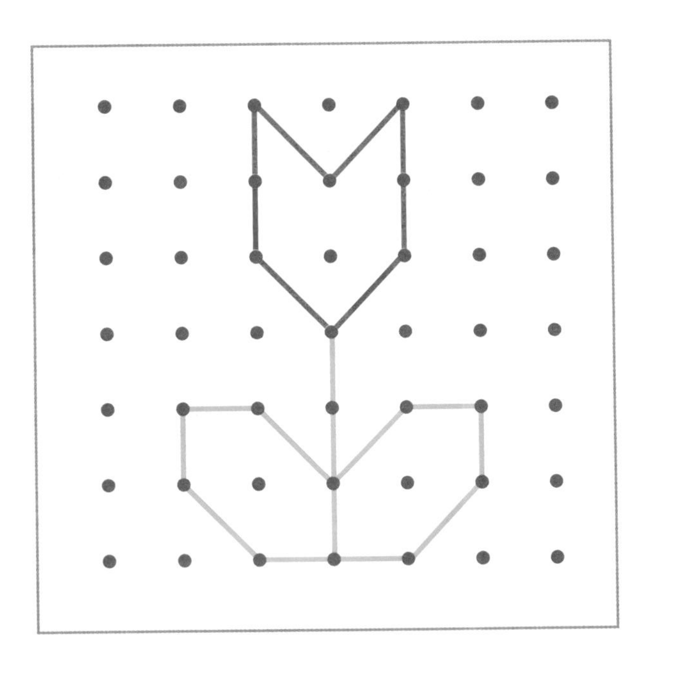

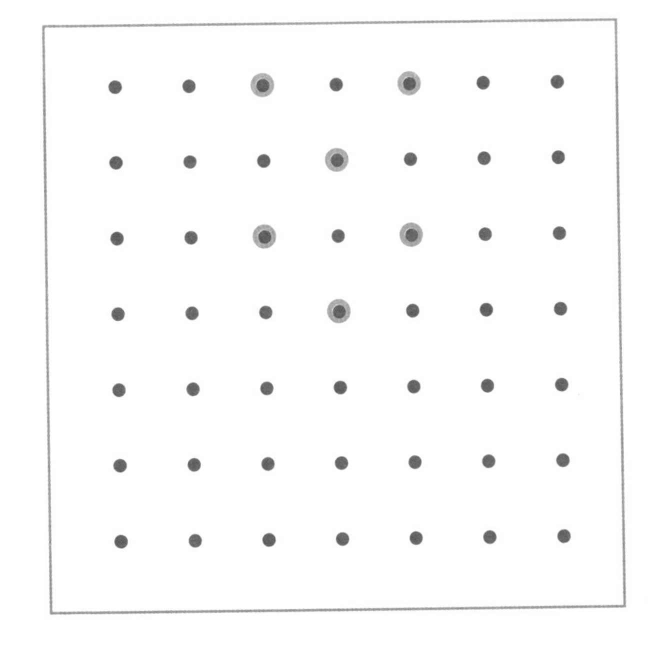

18

18

17

20

26

칠교조각

11

16

24

30

〈사용 방법〉

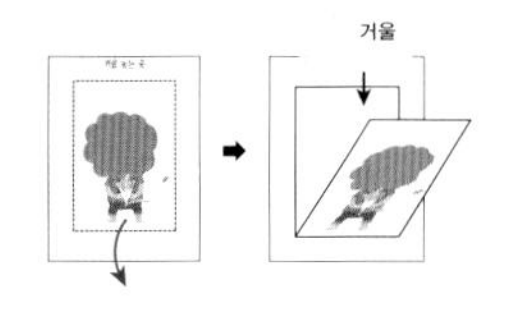

활동지 2

08

09

〈사용 방법〉

거울

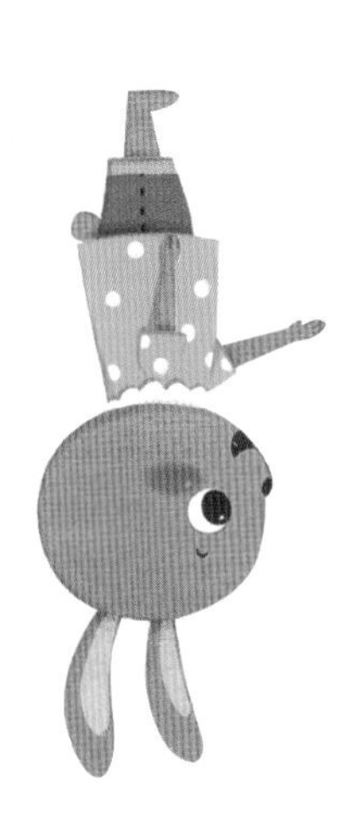

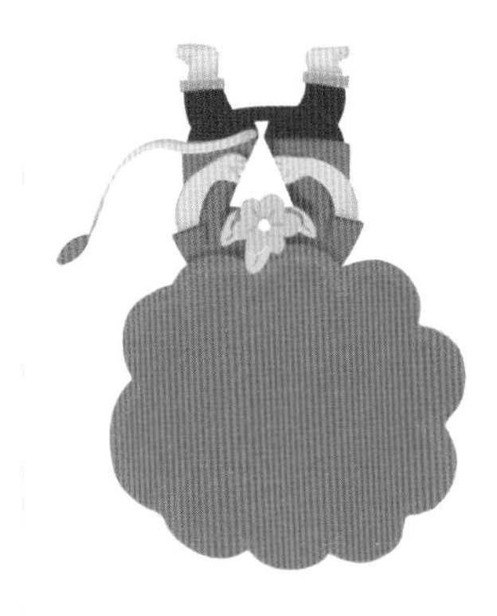

거울 접는 선 거울 접는 선 거울 접는 선 거울 접는 선

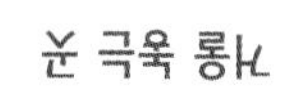

06

07

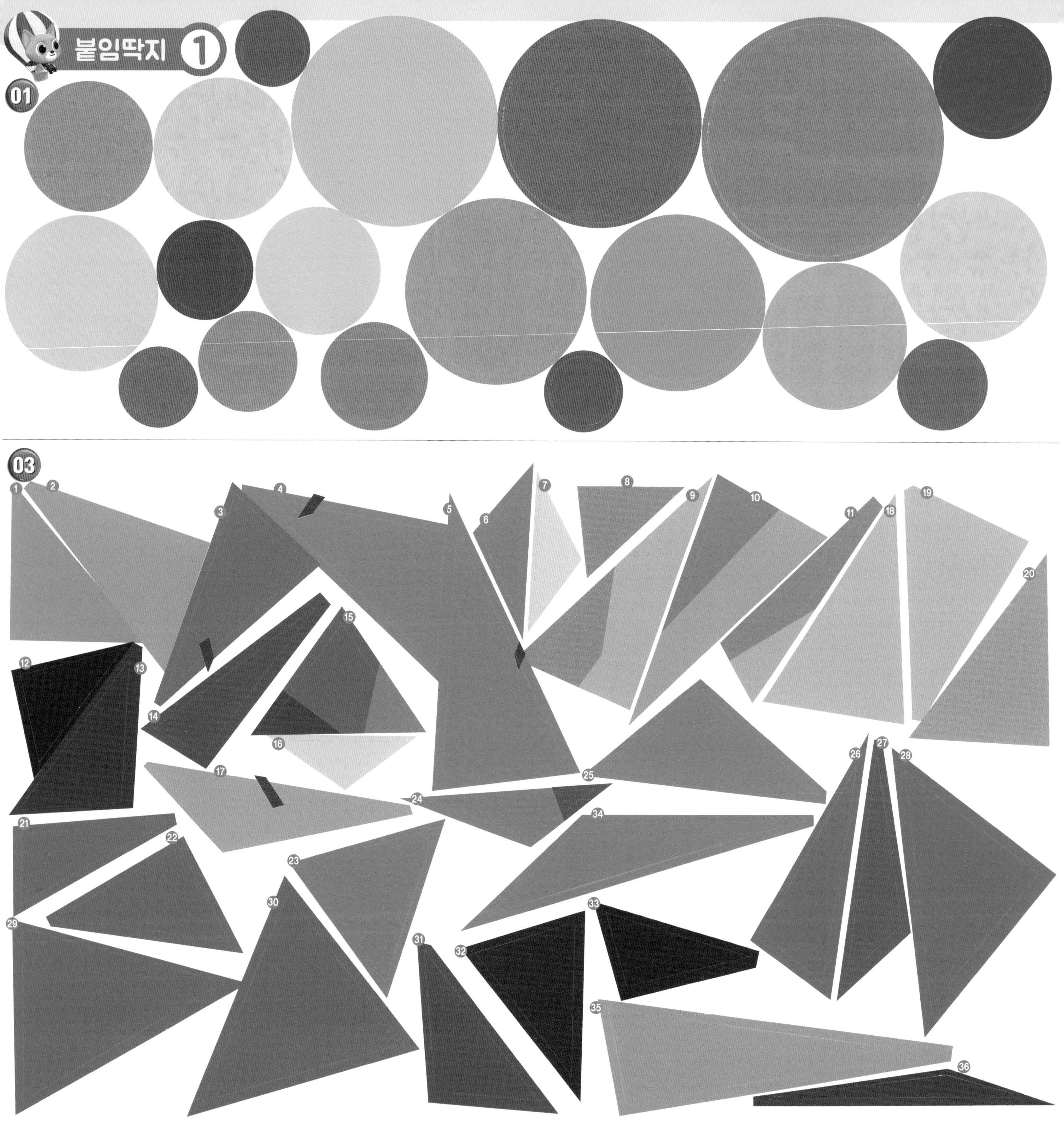
붙임딱지 1
01
03
1
2
3
4
5
6
7
8
9
10
11
12
13
14
15
16
17
18
19
20
21
22
23
24
25
26
27
28
29
30
31
32
33
34
35
36